BIBLIOTHÈQUE CANADIENNE-FRANÇAISE

Géomancie

Gérald Leblanc

GÉOMANCIE

COMME UN OTAGE DU QUOTIDIEN
suivi de
GÉOGRAPHIE DE LA NUIT ROUGE
et de
LIEUX TRANSITOIRES

Poésie

Collection BCF

Catalogage avant publication de la Bibliothèque nationale du Canada

Leblanc, Gérald, 1945-

Géomancie / Gérald Leblanc. — Éd. revue et corr.
(Bibliothèque canadienne-française) Poésie.
Comme un otage du quotidien a été publié à l'origine : Moncton : Perce-neige, 1981; *Géographie de la nuit rouge* : Moncton : Éditions d'Acadie, 1984 ; *Lieux transitoires* : Moncton : M. Henry, 1986.
Sommaire : *Comme un otage du quotidien* — *Géographie de la nuit rouge* — *Lieux transitoires.*
ISBN 2-921463-73-3

I. Titre. II. Titre : Comme un otage du quotidien. III. Titre : Géographie de la nuit rouge. IV. Titre : Lieux transitoires. V. Collection : Bibliothèque canadienne-française (Ottawa, Ont.).

PS8573.E326G47 2003 C841'.54 C2003-905043-2

Les Éditions L'Interligne bénéficient de l'appui financier du Conseil des Arts du Canada, de la Ville d'Ottawa et du Conseil des arts de l'Ontario. Nous reconnaissons l'aide financière du gouvernement du Canada par l'entremise du Programme d'aide au développement de l'industrie de l'édition (PADIÉ) et du Programme d'aide aux langues officielles (PALO) pour nos activités d'édition.

Conseil des Arts du Canada

Canada

Les Éditions L'Interligne
255, chemin de Montréal, bureau 201
Ottawa (Ontario) K1L 6C4
Tél. : (613) 748-0850 / Téléc. : (613) 748-0852
Courriel : livres@interligne.ca
Conception de la couverture : Christian Quesnel

Mise en pages : Arash Mohtashami-Maali
Correction des épreuves : Andrée Thouin
Illustration de la couverture : Angèle Cormier
Distribution : Diffusion Prologue inc.

ISBN 2-921463-73-3

Dépôt légal : deuxième trimestre 2003
Bibliothèque nationale du Canada

Introduction

Gérald Leblanc, libre

Si la poésie acadienne est née dans les années 1970 comme une entreprise collective au sein de laquelle les poètes jouissaient d'une grande liberté dans la mesure où ils n'avaient aucun modèle à imiter, cette poésie est aujourd'hui dotée de quelques figures marquantes parmi lesquelles Gérald Leblanc occupe une place de choix. Voilà quelqu'un qui a choisi de consacrer sa vie à l'écriture avec tous les sacrifices que cela implique dans une des plus exiguë des littératures francophones. Gérald Leblanc réunit dans son œuvre les traits les plus représentatifs de la poésie acadienne : immédiateté et virulence de la parole proférée, hétérogénéité des thèmes, des formes, des langues, liberté de l'invention et simplicité dans l'accueil au sein de la poésie de tous les aspects de l'ordinaire de la vie. Cette œuvre qui s'étend maintenant sur quatre décennies, de l'impétuosité de la jeunesse à la jouissance de l'âge mûr — car cet écrivain refuse le repos — mérite qu'on examine ses débuts à la lumière de l'ensemble des recueils auquel s'ajoutent maintenant de nouveaux titres avec une régularité qui témoigne d'une passion pleinement assumée. La réédition de ses trois premiers titres, *Comme un otage du quotidien*, *Géographie de la nuit rouge* et *Lieux transitoires,* réunis sous le titre de *Géomancie* arrive donc à point nommé.

Alors qu'aujourd'hui les sirènes de la postmodernité chantent les louanges de la marginalité et de tout ce qui l'accompagne, l'hétérogénéité dans la langue et dans les formes, le métissage, les langues régionales, le rejet des règles canoniques, on oublie trop vite les quelques artistes visionnaires qui ont payé de leur personne pour défendre ces positions avant qu'elles ne fussent à la mode. En Acadie, Gérald Leblanc fut de ceux-là. Si la liberté, c'est oser être soi-même, il faut admettre qu'il nous en a toujours donné la leçon.

Si l'on cherchait quelques mots pour qualifier l'ensemble de la poésie de Gérald Leblanc, il faudrait inévitablement passer par ceux de « franchise », « courage », « audace », qui désignent avant tout des qualités morales qu'on aurait tort cependant de croire étrangères à la poésie. Dans les littératures émergentes, l'urgence et l'absolue nécessité du discours priment toujours sur son agencement formel. C'est dans sa vérité que la poésie de Gérald Leblanc fonde sa beauté, non pas la vérité des idées, mais la vérité des émotions dont elle se tient toujours au plus près. C'est bien de ce côté que s'oriente le commentaire d'Alain Masson sur une poésie dont il se sent d'évidence très proche : « brièveté », « simplicité »,

« justesse », « honnêteté », « droiture », « fermeté » et « sincérité » sont les mots qu'il privilégie. Ces qualités sont parfois difficiles à assumer dans l'immédiat et leur rendement se mesure plutôt à long terme ; avec le recul, on peut affirmer que chez Gérald Leblanc, elles ont non seulement permis à une parole de se dire mais elles ont changé le dire de la poésie.

La liberté vis-à-vis de la tradition littéraire et des règles qui la définissent est peut-être le plus grand atout de ces littératures qu'on appelle périphériques. De ce phénomène, la poésie de Gérald Leblanc est exemplaire et c'est en grande partie grâce à elle que la poésie acadienne a fait du genre poétique un médium où l'on peut tout dire et sur tous les tons. Gérald Leblanc ne s'est jamais fait un complexe de l'ignorance des règles de la poésie classique car il en a inventé d'autres, au premier rang desquelles arrive une préférence pour le concret sur le symbolique. Comme le suggère son premier titre, c'est bien dans le quotidien que cette poésie s'enracine, dans le lieu et dans la lutte pour établir un espace habitable.

Les premiers écrits de Gérald Leblanc sont typiques d'une parole qui surgit après des décennies de silence et d'écrasement. Dans cette parole totale, directe, la primauté de la liberté d'expression balaie toutes les précautions oratoires, les modalisations, la relativité des points de vue. Elle utilise sans restriction son pouvoir d'affirmation contre les normes de la morale, de la religion, de la sexualité, de la politique, de la langue. La liberté totale qu'elle se donne n'a d'égal que le poids des tabous qu'il faut briser, et elle lui vaudra bien des accusations d'extrémisme, mais elle ouvrira néanmoins à ceux qui le suivent une très grande marge de manœuvre.

« Poésie coup de poing » écrit-il lui-même dans un raccourci frappant de justesse qui met de l'avant la rébellion, la dénonciation de tous les pouvoirs et le fait que le poète ne sera jamais un membre de la tribu. La poésie de Gérald Leblanc pratique une liberté sans réserve quant aux idées qu'elle défend et elle prend souvent l'allure et la virulence du manifeste. Mais elle use de la même liberté quant aux formes qu'elle se donne. Si on peut la qualifier de manifeste, on peut tout autant y relever maints récits fantastiques ou oniriques qui se confondent parfois avec le récit de voyage, la chanson ou certaines formes d'écrits minimalistes qui se contentent d'enregistrer des bribes de la vie quotidienne. Elle ouvre le genre à des discours non seulement hétérogènes mais aussi hétéroclites que ses émules n'ont pas cessé d'explorer et qui constituent peut-être aujourd'hui le trait le plus caractéristique de la poésie acadienne.

Gérald Leblanc a aussi eu le courage d'être libre dans son utilisation de la langue. Sans même parler du plurilinguisme qui le caractérise et du recours régulier à l'anglais et occasionnel à l'espagnol, il a donné une place dans sa poésie à une oralité chiaque qui ne pouvait se parer, comme l'acadien traditionnel, du prestige de l'origine ou de la « pureté » française. Au début des années 1970 en Acadie, cette langue métissée ne pouvait se draper, comme aujourd'hui, dans les vertus de l'interculturel, mais elle était plutôt associée aux stigmates de l'abâtardissement et de l'assimilation. L'écrivain qui la revendique est marginalisé dans son propre milieu et ce choix témoigne encore une fois que pour Gérald Leblanc les convictions passent avant le désir de reconnaissance par le public.

Certes l'Acadie a beaucoup changé depuis les années 1970 et s'il lui reste encore bien du pain sur la planche dans les longs travaux qui mènent à une maîtrise relative de son destin, elle n'éprouve plus le profond sentiment d'impuissance qui justifiait les coups de gueule de l'auteur de *Comme un otage du quotidien*. Les derniers recueils de Gérald Leblanc sont certes plus tempérés que les premiers, mais ils en ont gardé la simplicité, la liberté et la passion.

L'amertume et le pessimisme sont des sentiments très rares dans la poésie de Gérald Leblanc, peut-être justement par la confiance qu'elle manifeste dans le pouvoir libérateur de la parole dénonciatrice et contestatrice, dans le pouvoir créateur d'une écriture capable de transformer par l'imaginaire un espace hostile en espace habitable. Cette poésie est une célébration de la passion de vivre et si elle reconnaît l'aliénation au cœur de la vie, elle n'est pas loin de la considérer comme des « gênes exquises » qui servent à canaliser les énergies et à décupler le désir. Poésie de jouisseur et non de penseur, elle préfère aujourd'hui comme hier un peu d'anarchie à trop d'organisation. À la futilité de la discussion, elle préfère imposer la vérité de la sensation. Gérald Leblanc a cru avant tout le monde à une poésie acadienne libre de toute imitation de modèle exogène, à une langue acadienne qui ne soit pas honteuse des transformations qu'elle fait subir au français et il ne faudrait pas parier trop vite contre le rêve qui motive toute son œuvre, celui de faire de Moncton, par la magie d'une parole qui réalise ce qu'elle énonce, un espace de création en français.

Au sein de la poésie acadienne, celle de Gérald Leblanc occupe une position unique par son obsession de l'espace, comme on le voit dès les premiers titres convoquant la « géographie » et les « lieux », fascination qui ne fera que grandir avec l'évolution de son œuvre. Sa poésie est enracinée plus qu'aucune autre dans un espace acadien aux connotations urbaines et modernes. Elle reste donc fidèle à l'obsession territoriale qui marque la conscience acadienne, mais elle marque une rupture nette avec l'Acadie rurale et traditionnelle. Toute la poésie de Gérald Leblanc affirme que l'Acadie sera urbaine et moderne ou ne sera pas. Mais la modernité implique en plus une sortie de la périphérie et de la marginalité où sont confinées les petites cultures ; elle implique que les petites cultures définissent la grande culture contemporaine, qu'elles participent de plein droit à son élaboration. C'est pourquoi dans l'œuvre de Gérald Leblanc, l'Acadie implantée à Moncton n'est jamais perçue comme une enclave, mais est constamment mise en relation, en communication avec toutes les capitales du monde dans une relation égalitaire d'échanges réciproques. Certes il y a là une construction virtuelle que seul l'imaginaire de l'écriture rend possible, mais il ne faut jamais mépriser les rêves des poètes, ne serait-ce que parce qu'ils nous empêchent de nous contenter du présent.

L'œuvre de Gérald Leblanc montre qu'il y a toutes sortes de vérités et autant de chemins pour y arriver. L'assurance qui permet de faire confiance à ses instincts, l'audace d'être soi-même, le goût de la fête et de la jouissance ne sont pas des qualités si communes dans les discours de la marginalité qu'il est d'autant plus important d'en saluer la présence. C'est parce qu'elle est la parole d'un homme libre que cette œuvre nous intéresse et qu'elle risque à chaque fois de nous choquer, de nous toucher, de nous séduire.

RAOUL BOUDREAU
UNIVERSITÉ DE MONCTON

Comme un otage du quotidien

Gérald Leblanc

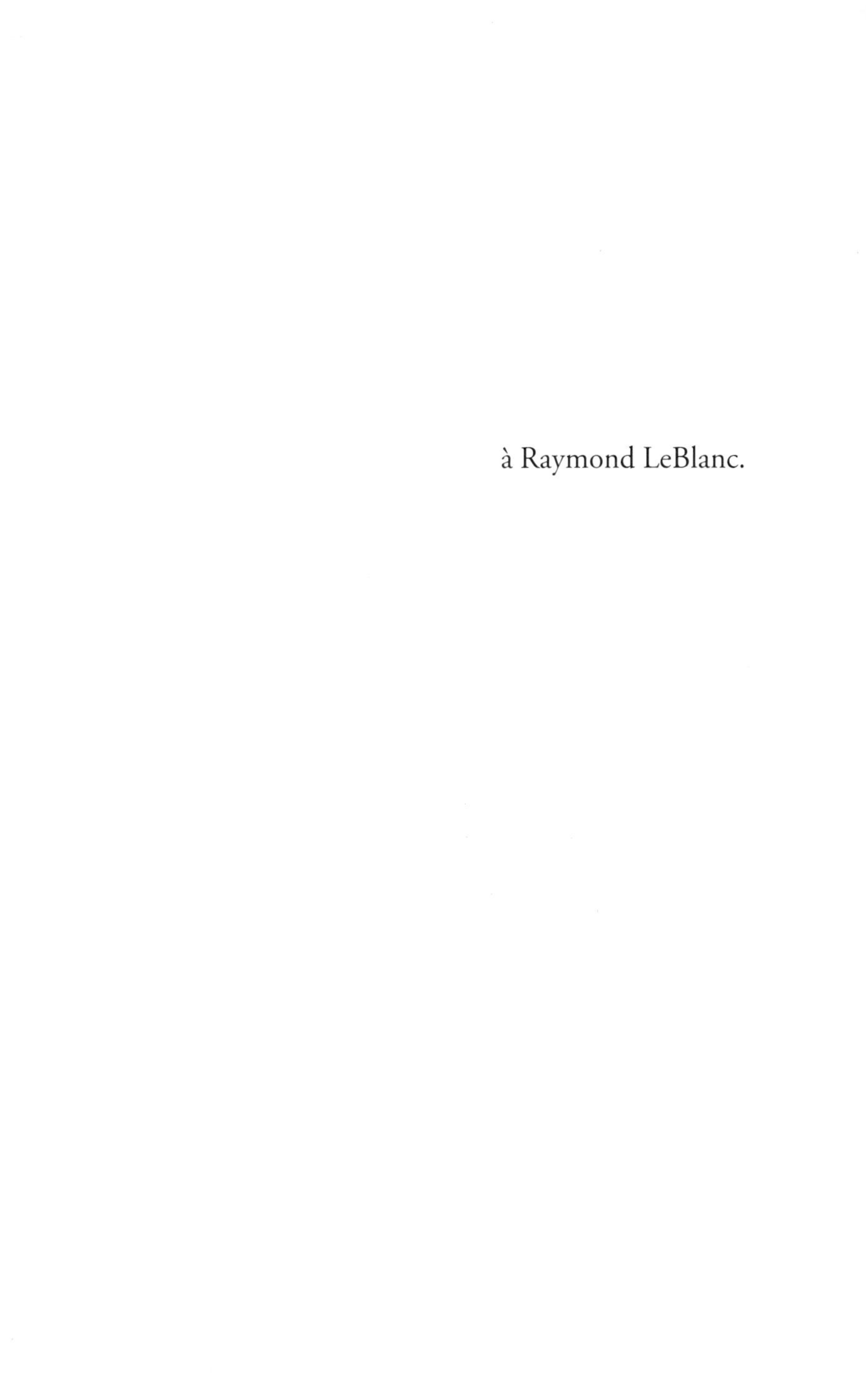

à Raymond LeBlanc.

à jeun ce matin
j'ai lu les poèmes de la veille
comme si quelqu'un m'avait laissé un mot
d'avertissement

la chanson bleue

il reste le rythme
d'une cigarette
sur un cendrier
et nos yeux vides
et nos cœurs gros
et le silence
entre nous

il reste le rythme
de mes pas
qui s'en vont
et sortent
dans la rue
où le tourbillon
des passants
m'emporte

snapshot du lendemain

monde joyeux de tous tes poils
matin bandé de tout ton corps

    j'entrevois les possibles
    into endless nights of cigarettes

dans un paysage nouveau
je défriche un terrain fertile
qui embrasse les arbres et touche l'eau

    territoire
où j'arrive en dansant
    t'y inviter

    c'est le même disque qui joue
    something soft et inquiétant

une ville

entre

loin de ton corps
loin de tes mains

    and what am i
    and what am i doing here

Babel (Moncton)

dans chaque ville me faut un docteur. au coin de chaque
crise de nerfs. je bois une autre bière. la radio me
pogne la fourche. je mange une cigarette. le tapis
me suce. mes doigts pensent au temps. aux dents.

le chant rouge. sur des lits de feu. *the red sounds.*
les orteils me crispent.

j'étudie mes maladies.

portrait

le long de la côte
un homme dans un champ
répète le rythme de son père

son fils travaille à la ville
rêve des fois à l'aire de la grange
dans le trafic des nuits de Moncton
il entend un violon
          se souvient de la senteur du bois

le passé se promène dans ses veines

il écrit une chanson
la corrige et la partage
il glisse dans la conscience ethnique
          où les couleurs changent
               les rythmes s'intensifient
où le son de son père lui éclate dans la tête

en descendant un chemin de terre

dans la vallée du village de Collette
j'arrive au ruisseau
et j'arrête au temps de mon enfance
vingt ans avant
au temps des foins et
des jeux derrière la grange
où nous étions tous parenté

en fin d'après-midi, une journée
— seul entre la maison de mon oncle et le poulailler
regardant le champ qui s'étendait jusqu'au bois
le soleil brûlait le paysage —
        le temps m'a traversé

plus tard j'ai appelé ce lieu et tant d'autres
        Acadie

vingt ans passés et
aujourd'hui regardant ces buttes
au bruit du ruisseau
je comprends que toutes les Acadie que j'ai connues
reviennent et renvoient
jusqu'au bout du monde appris sur un chemin de
terre

voyage

en éventant le sel sur l'air du vent

le corps et l'intensité des gestes

stratégie sensible

tu danses

au son du violon d'André à Toto

la danse

du violon généalogique

où trouver le rythme
d'une parole jouisseuse qu'on a dans la goule

où trouver le rythme
du blues de nos complaintes

où trouver le rythme
d'une conscience ethnique

à travers tous les champs de trèfles qui couleuraient
le paysage à nous en couper le souffle. sur des airs
de violons enfouis tellement creux dans nos reins
que nos têtes en tremblaient. tu es aussi beau que
tout ça

quand tu danses

et j'arrive

à ce que tu ressembles

focus

mon corps crie et brûle les excès d'hier
les images gravitent autour

le téléphone me réveille dans une chambre de motel
en matin de pluie de fête d'action de grâce

je bouscule jusqu'au restaurant
avant de rouler à gorge sèche
jusqu'à Moncton
        laissant le goût sauvage de ton cou
sur mes lèvres
        dans un stationnement d'Edmundston

j'arrive à l'automne
dans la rue où je vis
rempli d'étranges sensations

        cette nuit pour toute musique ce sont
        les arbres qui soufflent et s'agitent et
        l'avion qui t'emporte me traverse dans la
        tête d'une saison et de l'imaginaire

mappe

au déjeuner
Édith Piaf chante *Milord* à la radio
dans un restaurant de Tracadie
dimanche après-midi

tu me parles avec ton corps
qui va et vient
au rythme de mon crayon
sur une napkin
à cette table
café cigarette
en me levant
et c'est toi
au déjeuner
dimanche après-midi
à Tracadie

message

tourbillon du présent
au goût de mordre
le pain chaud de l'amour

c'est une dérive nouvelle aux éclats d'aujourd'hui
j'écoute intensément les rythmes au pluriel
sur des airs multiples
d'ici
où j'ai soif de partager
la fureur
de mordre

les rythmes viennent de partout

des pigeons des accords de guitares
le trafic du matin dans ma rue
ce sont des morceaux du quotidien
entre l'attente et la surprise
de nos corps en cadence

du reggae

c'est l'été
les rythmes viennent de partout
accordés à nos têtes de frolic

snapshot de deux guitares
ce sont des morceaux du quotidien
entre les mots et les gestes
de nos vies éparées à travers le noir et blanc

acadielove

un lit de mains. le son chaleureux

de ton corps. harmonie horizontale des draps.

la senteur en couleur. la musique en corps

et les secousses des frontières qui fondent.

à s'embrasser verticalement aux portes d'un

monde qui brûle derrière nous et l'éclatement

de ce qui s'en vient…

TEXTES/MICROPHONES

poème/intervention

dans la poésie sensible
un poème journal
        témoigne contre la conspiration pathologique
        de ceux qui n'admettent pas la différence

dans un poème chaud
la poésie nue
                à l'état d'icitte

nous ne sommes plus à l'abri de rien
les States la Russie la Chine
s'amusent à la planète comme à la *play-pen*
jouent au ping-pong nucléaire
putassent autour de frontières hallucinées

il n'y a pas de frontière dans mes poèmes
il n'y a que la Mariecomo qui danse
et mon cœur romantique
et mon cul politique

sommes-nous venus au monde pour aboutir
effourchés sur un ski-doo ?

l'Assomption grimpe dans le ciel de Moncton
la cour suprême foire sur Jackie Vautour et les siens
ce qui veut dire : nous autres

les gouvernements nous insultont
les ignorants nous disont qu'on parle mal
they can all go fuck themselves
zombies qui s'escouont à la senteur
d'une place ou d'une piastre

chaque personne parle pour elle-même

le catéchisme
le transcendantalisme
le marxisme-léninisme
le trip des -ismes
ou le bulldozer niveleur de la différence

la poésie en arrache
        contre les bad trippeux du langage
        contre les peureux de l'évidence
        contre les censureux de la différence

entre les agences de collection et le shériff
j'arrive avec la pleine lune dans les yeux

j'éclate en mille miettes à l'appel
d'une sexualité vibrante
où les mots ne suffisent plus
au désespoir d'une politique qui fait débander

le monde que je revendique est inoui

> « I haven't fucked much with the past, but
> I've fucked plenty with the future. »

à Régis Brun
créé à la Nuit de la poésie du 10 mars 1979 / Moncton.

hommage à Ferlinghetti

assis dehors sus 'a galerie
je regarde le monde passer
          le monde pressé
          le monde qui prend son temps
          le monde qui perd pas d'temps

assis dehors à regarder
          tout le monde qui m'emporte
          et me ramène

je sors marcher et
je vois une femme qui vend des fleurs aux passants
je vois des lignes dans un chemin qui mène partout
je vois *L'Évangéline* jouer aux sports dans la cour du Kmart

en marchant dehors
j'entends le serment d'allégeance et l'acte d'expropriation
j'écoute le temps qu'il fait

j'ai continué et
j'ai passé d'un village au pays jusqu'à la ville
j'ai passé à l'amour des bras doux et des ventres chauds
j'ai passé sur des chemins de terre
j'ai passé sous le regard des policiers

je m'ai arrêté
        pour promener ma tête dans l'air du temps

assis à table de cuisine
à écouter le dedans chanter
        avec des mots qui faisont du train
assis dans le mois d'août
le désir me saute sur un vent planétaire

        un poème traverse l'après-midi

comme un otage du quotidien
l'incroyable me regardait en pleine face
les arbres se pleyaient en deux
les trottoirs se pleyaient en quatre
le trafic était bilingue

dehors
        dedans

j'écoute la radio vomir
j'écoute les gorgées de bière descendre
        dans les tavernes de mon pays
                        mon pays

        dehors
                dedans

entre la craie et la job à plein temps
j'arrête pas de marcher
j'avance dans l'impossible
et je pleure toute l'eau que j'ai dans les yeux
je vois trempe et je vois brouillé
je prends une braque et ça crie

        les journaux pleins de folies
        la paranoïa pour déjeuner
        les gouvernements à pisser dessus

je prends une braque et ça chante

des airs du soir et de coucher de soleil
des airs à se chavirer au plein mitan de la nuit
des airs dans la tête en se levant
des airs d'amour fou à déparler
dans le bleu du ciel de Maisonnette
des airs de laby-rêve dans le tonnerre des doigts

dehors

    dedans

assis sus 'a galerie
à regarder le monde courir
à regarder le monde finir

TEAR DOWN THE WALLS!

jusqu'à prendre en feu de nos tripes illuminées.

créé à la Veillée de poésie, le 11 août 1980 / Caraquet.

« Nous les enfants d'une race qui frappe
à la porte de la Justice »

la fin des années 70

J'écris pour une vingtaine de personnes (et celles et ceux qui peuvent/veulent lire ; il y a disponibilités/ouvertures) travaillant dans diverses disciplines — peintures, assurance-chômage, politique, musique, etc. — qui se rejoignent toutes. Travail contre la crétinisation prêchée par les « organes » officiels. Je tente un langage *autre* qu'une linéarité maladive de la culture occidentale.

textes qui veillent tard
à l'écoute de ce qui se passe
après la fermeture des tavernes
textes-taxis à travers la ville…

Ici, j'adhère profondément au cri d'Herménégilde Chiasson : *écrire le présent.* Ou encore Régis Brun qui danse *La Mariecomo*, livre historique d'un quotidien. *Cri de terre* de Raymond LeBlanc, *Acadie Rock* de Guy Arsenault. Points de repères : antidotes aux éditoriaux de *L'Evangéline* ou aux discours de « premier ministre ». La vie ne se passe pas là, mais avec nos semblables, de la table de cuisine jusqu'à la rue. Le frolic et la fête comme évidence du pays.

Quand Michel Roy écrit *L'Acadie perdue*, il raconte son aliénation personnelle, projette sa mentalité (son goût) élitiste, le besoin de vivre sa maladie au Québec. Il refuse notre différence, n'ayant pas arrivé à écouter le violon, une soirée au bootlegger à titre de participant, n'est pas contemporain du parc Kouchibouguac.

L'Acadie chaude s'écarte d'un discours linéaire. *On pense pas comme z-eux*, ça ne m'intéresse même pas. Sans passer par le test de sang, je sais que l'Acadie ne se trouve pas à Montréal.

L'important, c'est de vivre sa vie, oser un mieux-être. Les complications viennent des éditorialistes, des curés, de la police, de l'auteur de *L'Acadie perdue*, de ceux qui n'acceptent pas la différence.

des couleurs sautent en arrière des yeux
la *Bitches Brew* de Miles Davis flotte encore
la nuit s'écrit autour de la ville
les mots bousculent et disent
manière de vivre et d'apprendre
de danser sur une ligne musicale
qui nous ressemble chaudement
souffles couleurs éclats
et le rire résonnant de chanter ce lieu

la lune est acadienne dans le ciel de chez nous
réaction du corps à ses rythmes
le moment entre un beat au suivant
que la musique traverse

/ flash

l'été de Pink Floyd /

la découverte et le détour
moments à explorer
l'apprentissage du changement
la dialectique et le yoga
les débordements de tête
j'amenais les Doors partout
la Chine frappait à la porte

/ flash

les fréquences horizontales
de deux corps accrochés ensemble
par des langues, des dents, des babines,
des bras, des doigts, des ventres, des jambes
aussi fort que les Rolling Stones
dans des églises incrédules

s'accumulent des perceptions
la mémoire en strates chavirées
les temps passés et présents
se dénouent et s'embrassent
gestations des images
dans les multiples réalités d'un corps

la poésie

à Louis Landry

le désir de dire éclate
la poésie arrive en vie
                    en bourrasque
à l'aventure de liberté

la main trace l'articulation rythmique de l'émotion
sur une feuille blanche des mots surgissent un à
un chanter le vertige de
l'imagination et cette intensité s'écrit
poème et se renouvelle chaque fois

          souffle sauvage à la source
du sensible

notes

« *I haven't fucked much with the past, but I've fucked plenty with the future* » du texte ***poème/intervention*** est une citation de Patti Smith, tirée du disque ***Easter***.

« Nous les enfants d'une race qui frappe/à la porte de la Justice » est une citation de Clarence Comeau, tirée de son recueil ***Entre amours et silences.***

le premier texte de ce recueil est déjà paru dans la revue ***emma***, vol. 1, n° 1, 1976, publiée par les Éditions d'Acadie.

Géographie de la nuit rouge

Gérald Leblanc

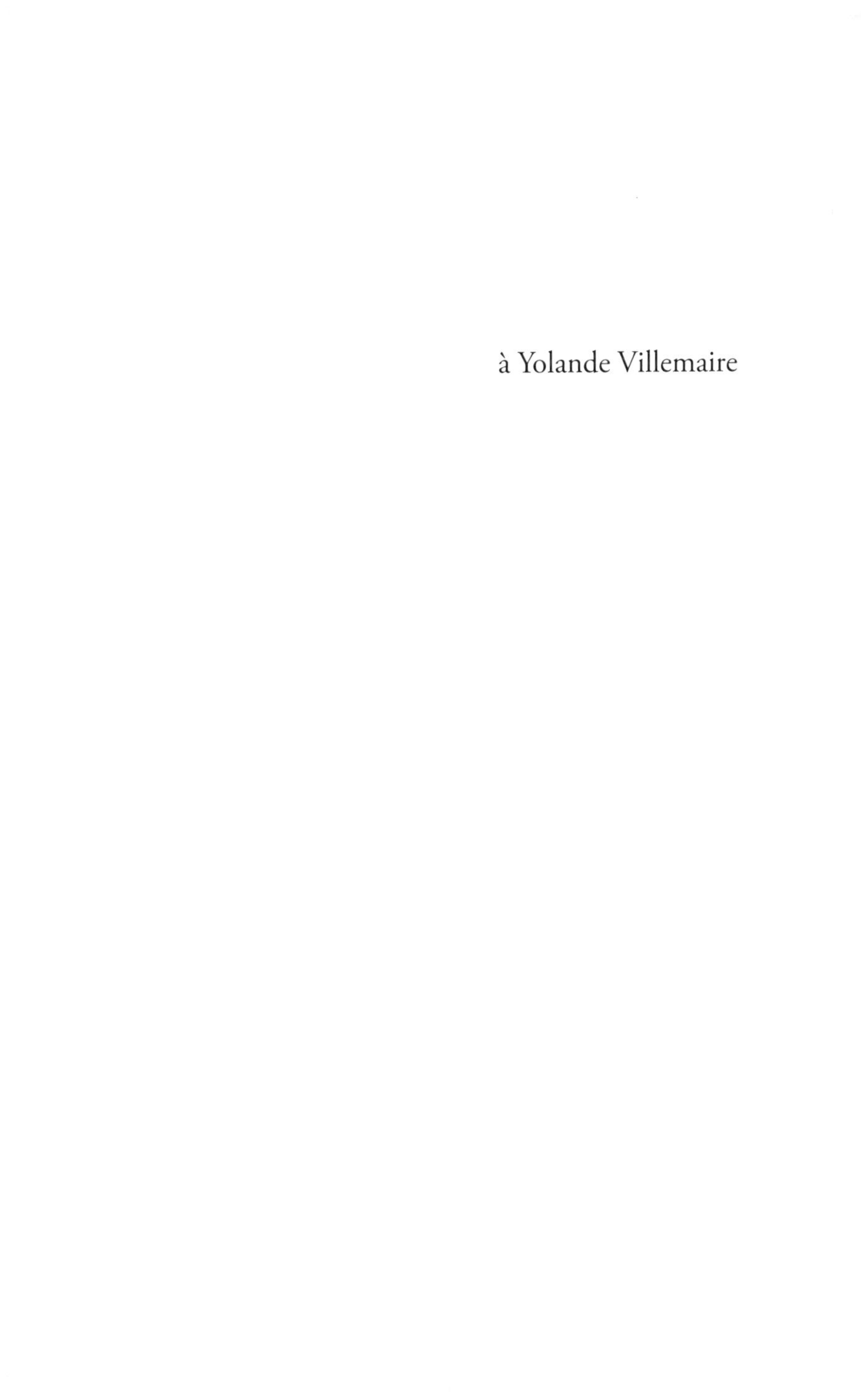

à Yolande Villemaire

What were we, then,
Before the being of ourselves began?
Nothing so far but strangeness
Where the moments of the mind return.

LAURA RIDING.

j'étais *waiter* dans un abri nucléaire, en *standby* pour une autre planète. je voulais t'écrire une lettre d'amour car ma plume enregistrait 6,5 sur l'échelle Richter.

les personnages de Lawrence Ferlinghetti y venaient souvent. Andy Warhol imprimait les menus sur des airs cristallins de Philip Glass. Nina Hagen se teignait les cheveux dans le lavabo pendant que je rinçais les verres radioactifs.

et je rêvais de Moncton, nostalgie d'un passé où j'avais compris que toutes mes mémoires se ranimeraient dans le refoule éternel de la Petitcodiac.

sur le sentier du rouge

au bureau d'assistance sociale, nos plaies cicatrisent mal au son de CFQM/country & western. je me retrouve dans un télé-roman cheap dans les entrailles de l'Assomption, septième étage. c'est l'été 1981, en ville.

ici, nous sommes majoritairement Acadiens. il faut demander une clé si nous voulons aller aux toilettes. la police arrive : un réclamant est tombé endormi à force d'attendre. on se moque d'une Amérindienne. on ridiculise une fille-mère. on me rit dans la face quand je leur réponds que je suis écrivain.

au régime du baloney et des saucisses, j'ai le temps d'y repenser. que ça me rend aigre. comme Lou Reed dans les rues de New York qui attend sa fix.

je travaille à une géographie d'errances, en essayant d'aller plus loin. d'aller voir ailleurs et partout.

ma plume et mon corps amphétaminés fouillent Van Morrison qui hurle *listen to the lion inside of me*. et je crie avec lui *and we sail and we sail and we sail and we sail* jusqu'aux accords trouvés par Zachary Richard pour sa ballade de Beausoleil. parce que je suis à bord de ce bateau-là, convié par des vagues bleues électriques. il y est question d'Acadie, d'amour et de liberté.

j'ai longuement pensé à ces mots avant qu'ils me frappent en plein cœur à l'automne 1979. je m'en revenais d'Edmundston avec Herménégilde Chiasson, d'une Convention d'orientation nationale où je ne savais plus où j'allais. sauf que je rentrais chez moi, seul, à Moncton.

j'y ramenais des mots et je ne savais plus que faire avec. j'essayais des poèmes, des chansons, de longues dérives, jusqu'à ce que ces mots me reviennent de l'autre bord, expédiés du fond d'un bar à Vienne, pour m'expliquer que oui.

et je comprends que même si je pleure, je n'ai plus peur. l'espace/temps tourne démesurément, cette nuit, sur des mots expédiés du fond d'un bar à Vienne. c'est une nuit rouge de rage, cri rouge de ma gorge rauque. je fouille à bout portant les images pêle-mêle de ma mémoire rouge.

et je retrouve le premier rythme en écrivant. j'entends des musiques de vie et j'avance, sur ces signes sonores, écarlates, sur les traces d'un monde où je ne veux admettre que le merveilleux.

poème flottant sur le dix de cœur

lettre de Montréal
contenant des carnets d'allumettes
ramassés dans les clubs et les bains
entre tout ça
la carte du dix de cœur
qui fait virer de bord
le mois de février
car le dix de cœur
annonce toujours une surprise
et c'est une bonne carte à jouer
ainsi je décide d'aller te retrouver
à la table ronde
nous parlons par bribes
entre le trafic de la Mountain Road
et le téléphone achalant de ton bureau

je te dis que je traverse un blocage d'écriture
et tu comprends drôlement
je pense à mes plumes
au papier, aux cigarettes
au I-Ching, ma table, mes livres
mes instruments de travail

je n'explique pas
j'aime mieux te parler du dix de cœur
en t'avouant que rendu où j'en suis
je jouerais mes meilleures cartes

je te raconterais des histoires cochonnes
je te jouerais des musiques incroyables
j'irais te chercher *L'Évangéline* tous les matins
je ferais le tour des bootleggers par taxi

je roulerais des joints avec le tapis
je dirais aux agences de collection que t'es pas là

je chanterais ton corps avec ma plume Bic
parce que je voudrais seulement
que tu me regardes dans les yeux

à l'hymne hystérique de la radio a.m.
tu m'as pris par la main
pour m'emporter dans une chambre à l'hôtel
Nirvana

sur un voyage hors du temps
le temps passé à voyager
l'un sur l'autre
l'un avec l'autre
et je comprenais que le dix de cœur te
ressemblait

le dix rouge comme le feu

l'hiver dans le dix de rouge
en feu comme la carte à jouer
dans le bleu de tes yeux

en atterrissant à l'appartement
le dix de cœur était sur le plancher
comme une clé
je l'ai remis sur ma table
tout près de mes cahiers, mes livres
mes instruments de travail
et je me suis mis à écrire
ton corps lumineux sur une page mobile

ainsi j'apprends de nouveaux rythmes

for you are made of rhythms
and happen
like leaves
and rain
and hunger.

september song (pour ma fête)

je m'écris bonne fête derrière l'arcane 19 du Tarot
la carte du soleil, le dieu Râ
la couleur jaune qui tourne orange
qui tourne au rouge
quand je regarde trop longtemps
je n'ose pas faire l'inventaire de l'année passée
de peur de tomber dans un hiver sans couleur
où je me serais perdu
n'eut été du fil conducteur rock
les illusions s'effritent
depuis que je regarde la vie de tous les côtés
j'aimerais écrire une histoire d'amour sans histoires
mais la télévision d'en bas joue trop fort
et le gratteux de guitare d'à côté
chante encore les chansons de Cat Stevens
toute la nuit

pour sortir d'ici
il me faudrait une Corvette flambant neuve
parce que je m'accroche toujours dans le mot folklore

et ça me fait bégayer
quand je ne porte pas mes verres fumés *new wave*

reste la dérive nécessaire
d'un territoire trop serré
pour retrouver la tendresse des intimités vitales
et je veille tard
pour inventer une mathématique sensible
qui expliquera mieux mes réseaux exigeants

october song

ton rire résonne sur mes tympans-stéréo
sur les ondes courtes et les ondes longues
                                        de mes nuits rouges
je suis traversé d'automne orange
au coin des rues rock-bleues
je murmure Moncton mantra
dans la pleine lune qui monte en moi
et j'ai la forme de ton rire

un rire qui éclate sur la radio
dans les vestiges du réel

november song

et novembre tourne
je gravite éperdument
autour d'une chanson de Laurie Anderson
Let X = X
c'est une orbite scintillante
où je continue à décrypter tes clins d'œil
au coin de la rue Archibald
derrière les sirènes d'ambulance
sur les juke-box brûlants
des salles de pool paranoïaques

toute la rue Saint-Georges est un hologramme mauve

december song

décembre est un mois où j'imagine la Louisiane, le Mexique, la côte ouest. *Soy hijo del sol.* j'imagine orange : couleur des sensations, pour que la nuit ne soit plus jamais noire.

c'est un soir de dérives. la ville blanche et belle bouge. je marche vite, au son de la sloche, vers un bar, le temps d'une bière. et je reprends la marche. je dis Joël, tout haut, comme au temps où j'allais te retrouver, longeant ce même trottoir, automne 1981. ce même trottoir où quelqu'un avait peinturé en grosses lettres noires : The Clash ! comme au temps où j'allais te retrouver dans la musique.

j'arrive à un autre bar en plein rythme reggae. j'imagine la Jamaïque à en brûler, d'un soleil en sagittaire qui est une clé à ta porte. je me rends chez toi. le pilote du vaisseau spatial Air Cab me dit : « Have a good night ». chez toi, j'essaye de traduire pendant que tu mets le disque *Translator.* mais voilà que tu danses et cela n'a plus d'importance dans une langue ni dans l'autre.

c'est ta fenêtre, le parking est une couche d'améthystes devant un écran lumineux. E.T. appelle

Ziggy Stardust sous le regard de Jupiter. entre l'aigle et le serpent toutes les mémoires s'allument et j'ai le vertige. comme un film en plans inversés, le building se transforme en pyramide. le temps tourbillonne sur le rythme insistant du tourne-disque. je tourne dans ce vortex sonore et je vois le feu, l'œil d'Horus à senestre. je vois Icare ascendant alors que je tombe en chute libre.

je ne sais plus où je suis. je ferme les yeux et je murmure Joël, jusqu'à l'incantation. je répète ton nom de Joël et en ouvrant les yeux, ton image apparaît sur l'écran lumineux. il y a ta réflexion devant moi sur une fenêtre alors que tu danses derrière moi. et je me retourne sur ce rythme pour te rejoindre, en avançant vers toi, comme un enfant qui nage dans les larmes de Shiva.

hommage à Jimi Hendrix

In 1983, a Merman I should be et déjà le matin se lève sur la ville, j'avance dans le gris du matin, ébloui dans la sensation de toi, Joël, miroir de mon âme, éclat irradiant sur la ligne de temps où je ressuscite dans le bleu de tes yeux, en murmurant une prière atlante que je lis sur tes lèvres.

sweet and sour city

snapshot city
ville septembre surprise
ville miroir
ville laboratoire
ramène toujours à la rue
comme vivre dans la rue
sortir sur toutes les Main Streets de l'univers
jusqu'au bout de toutes les nuits rouges
we're dancing in the streets
dans toutes les Main Streets de l'univers
rue rock'n'roll
rue bebop dans le bleu
rue reggae au cœur de l'été
rue du juju africain
rue du beat des juke-box
sweet and sour city
beaucoup de verres city
ville de lui
free-for-all city

rouge

quelque part dans le temps, la voix de Joan Baez flotte au-dessus de la ville. elle chante une chanson de Dylan, en fait ressortir toute la beauté, le côté yin. devant moi, une reproduction d'un *Mickey* de Paul Bourque. j'essaye de trouver un fil en ce lieu à la fois si étrange et si familier. j'essaye de comprendre la nuit. rouge. de comprendre le rouge. c'est encore une passion qui flambe en moi. c'est encore une passion qui change de visage mais qui va en grandissant. je récite le nom des rues de mon quartier, tentant de me « grounder », de simplement savoir si c'est pour de vrai que je suis à Moncton. depuis que j'ai changé de rue, c'est une autre perception. je vois les mêmes choses mais d'un autre point de vue. ta présence habite encore ce lieu. je ne sais pas pourquoi. peut-être à cause des meubles, à cause des disques, à cause des livres dont tu as touché l'âme même. cela me fait curieux. tu me reviens de façon intempestive. toi qui as commencé dans l'orange. maintenant le rouge. le rouge fier. j'y vois le rouge feu mais tu fuis déjà dans la nuit et je répète le mantra : *love is just a four letter word.*

de la nuit

la perception du monde passe par nos corps. vivre le rouge jusqu'au dépassement.

géographie

the maps they gave us were
out-of-date by years…
Adrienne Rich.

un autre lieu que je veux lieu d'écriture. dans une maison de miroirs qui me renvoient des objets d'art mexicain. j'écris dans une pièce orange tout près d'un cactus long et mince. comme Tehuantepec à domicile.

je vibre encore sur *Shadows and light*. cette nuit qui nous prolonge dans la journée la plus longue de l'année. solstice, soleil rouge, et toi, oscillant à dextre et à senestre dans les courants de ce texte où je t'entends rire entre les phrases.

je vibre sonore sur Santana. errer sur ton corps comme errer dans la ville.

le 21 juin, l'horloge s'est arrêtée à 2 heures. reprendre l'écriture. avancer sur la ligne bleue qui est une ligne de feu. avancer dans les étincelles d'images. avec beaucoup de millage dans les mots. c'est le mouvement. c'est le mouvement qui m'emporte.

et je me retrouve dans la géographie des livres
la géographie de Moncton
la géographie de tes lèvres
la géographie de notre soif
la géographie de la nuit rouge

la noche de los tiempos

à Léo Thériault

toutes les villes se ressemblent dans une chambre d'hôtel. je voulais prendre l'avion, le taxi, l'autobus, son sourire pour un trajet, un autre voyage sur la voix de Lou Reed. mais je me retrouve dans une chambre d'hôtel à l'heure de la peur.

je suis déjà passé par ici et j'écris pour m'en rappeler. un soir à Québec, le 22 avril 1983, j'écoutais Louis Comeau lire : « Il y a la mémoire de ce qui est passé et de ce qui s'en vient. » il suffit d'ouvrir les yeux plus grands, de regarder. de fermer les yeux, de voir, ce qui s'appelle voir, chaque fois, encore une fois. alors cela a dû commencer à Québec, où j'écrivais Moncton, en route pour Cancún en brûlant tous les feux rouges. cette nuit, j'ai la mémoire ouverte, comme une boule rouge qui roule sur la route.

j'allume de l'encens. je sens le copal maya de la fumée qui monte vers le plafond, se mêlant à la fumée de cigarette et de haschisch.

entre deux chansons des Simple Minds, c'est toujours sa voix qui me manque. *i think of you on a blue radio.* l'AM/FM de mes nuits, car j'avance dans la nuit et quelque chose d'étrange se passe dans le texte sans que j'aie encore compris le bleu. *i wish you could come through on a blue radio.* et quels mots m'amèneront au rythme voulu, au rythme vivant, électrique. le rythme où trouver l'eurythmie. *with opened ears on a blue radio.*

je voulais lui écrire plus vite mais j'avais laissé ma machine à écrire en gage. maintenant je fais les cent pas dans ma chambre me disant que je finirai peut-être par me retrouver.

sur la table près du lit, j'aperçois une petite pyramide en carton. c'est une annonce du club de l'hôtel : *la noche de los tiempos.* je contemple la poignée de porte et après avoir fumé ce qu'il me restait de haschisch, je sors, en murmurant *la noche de los tiempos.*

le portier du club ne veut pas me laisser entrer. je lui pique une crise, lui disant que j'ai besoin d'un verre parce que je n'ai pas aimé mon horoscope du mois d'avril ; parce que c'est la guerre ouverte entre la banque provinciale et moi pour ce qu'il me reste de bouteilles vides ; parce que je n'en peux plus de hustler des cigarettes dans la zone américaine ; parce que mon chien a perdu son collet ; parce que, *goddam*, je suis tanné de regarder ma poignée de porte.

il me regarde, me dit quelque chose au sujet des amphétamines qui aiguisent le réel. je lui réponds que le réel, je le trouve prime assez comme c'est là. et je rentre.

la noche de los tiempos, c'est un bar avec beaucoup de monde. j'essaye de ne pas penser à Berlin mais tout le monde en parle. c'est l'hiver et c'est aussi l'été. j'écoute David Bowie regarder des yeux verts en chantant que la lune est froide et je le crois même si on crève de chaleur dans un paysage de Georgia O'Keefe. tandis que la tequila brûle les gorges et allume les têtes, j'essaye de passer du mondain au magique sur ces snapshots de néon.

ce bar est un carrefour et l'ambiguïté est sexuelle car le chiffre 6 est dessiné sur les carnets d'allumettes. c'est-tu la pleine lune *or what* ? j'aimerais bien parler à quelqu'un. j'ai le goût de danser. je m'avance vers la piste de danse en avalant une gorgée de *tequila sunrise* : hommage à Dyonisos sous l'effet des lumières stroboscopiques.

le rythme de la musique m'emporte. je me laisse aller à la danse. pour absorber tous les rythmes, pour sentir tous ces corps en mouvement, je danse les yeux fermés. quand je les ouvre à nouveau, j'aperçois un homme appuyé contre le bar. il porte un imperméable blanc, un chapeau de feutre et des verres fumés. l'image me fait pouffer de rire sans que j'arrête de danser.

dans le jeu des lumières et des corps, je constate que j'ai la mémoire de Cancún mais non la raison pour laquelle j'y suis venu. instinctivement, je regarde l'homme à l'imperméable blanc. malgré ses verres fumés, je sens qu'il me fixe intensément. je m'avance dans sa direction en dansant, le fixant à mon tour. quand j'arrive face à face avec lui, il se penche et me souffle à l'oreille : *can talmak yinko hobike ugh om ulak lock*. entre le pouce et l'index, je prends le scarabée vert/bleu que j'ai au cou et lui réponds : amitiés atlantes. d'un coup de tête il me fait signe de le suivre.

je monte dans sa voiture et il démarre à toute vitesse. il prend une route sinueuse et comme nous commençons ce trajet, j'ai l'impression très forte de connaître ce chemin, un déjà-vu intense. c'est alors que je remarque une bague verte qu'il porte à l'index. il s'en dégage une lumière étincelante qui m'hypnotise, qui m'envahit de vert. je vois le vert de la voiture verte d'Allen Ginsberg qui est une machine à rêver sur la route de Jack Kérouac ; vert comme le cahier dans lequel je traduis *Ange Amazone* ; vert comme les cheveux de Baudelaire ; vert comme ses visites que je trouve poétiques ; vert comme la menthe matinale et magique, florissante et fraîche comme le marbre de ses yeux bleus ; vert comme le cœur puisqu'il faut bien en parler ; vert comme quand il vient vers moi ; vert mirobolant, translucide ; vert comme le 29 avril 1983 que j'écris à perte de vitesse verte.

je perds graduellement la notion du temps, de la durée. nous sommes dans le sud des États-Unis, quelque part en Louisiane. je demande à mon compagnon silencieux si je peux ouvrir la radio. il me fait signe que oui. je m'applique à jouer avec les postes me disant que ce serait vraiment too much si je captais *Blue Bayou*.

je tombe sur un poste qui rentre clairement. un air cajun inonde la voiture. je reconnais les frères Balfa. c'est une complainte du fond des âges qui réveille la mémoire de Bouctouche, du Fond de la baie. la senteur vive d'un poêle à bois, une soirée de noces où j'étais caché derrière la porte pour regarder le grand monde danser. j'entends distinctement les pieds qui frottent sur le plancher d'un quadrille, le violon sur un autre rythme, avec une autre tristesse. c'est la Louisiane qui me ramène chez moi, sur cette tristesse que j'ai appris à nommer le blues. je voyage dans une autre Acadie à 100 milles à l'heure. et à perte de vue, je vois toute la côte du continent s'embraser de rouge pendant que je m'endors en voyant le feu.

je me retrouve au bar *la noche de los tiempos* avec Herménégilde Chiasson. nous travaillons à un livre intitulé 5,98 $. c'est une idée géniale que nous avons eue après la huitième bière et qui va faire chavirer tout le monde tellement c'est adapté à l'époque. nous écrivons tour à tour une ligne jusqu'à ce que nous en ayons 598. nous comptons ajouter un coupon-boni de 1 $ qui donnera droit à cent lignes supplémentaires au lecteur qui l'enverra.

après la douzième bière, nous sommes déchirés entre la littérature et les chiffres de vente. comme on s'amuse beaucoup et qu'on veut pas arrêter d'écrire, on commande deux autres bières.

après quelques gorgées, nos paroles deviennent grommellement, puis ondulation sonore qui s'amplifie. de nos bouches sortent des ondes bleues qui montent se fusionner dans un arc-en-ciel vibratoire. pour intensifier le bleu, nous appelons les poèmes de Guy Arsenault, les peintures d'Yvon Gallant, les comédiens de l'Escaouette, les complaintes de Joseph Larade, les fantaisies de Dyane Léger, les blues d'Ulysse Landry, les incantations de Rose Després, le Petitcodiac de Raymond Leblanc, les images de Paul Bourque dans le bleu des profondeurs atlantes qui montent à travers les âges.

je me réveille sur un son bleu. la voiture est arrêtée et je suis seul. le lieu m'est familier et en regardant de plus près, je reconnais le Manoir d'Auteuil à Québec. encore étourdi, j'aperçois une enveloppe attachée au volant. en l'ouvrant, je retrouve un simple message, griffonné au crayon à mine, qui dit : « N'oublie jamais le voyage dans le voyage car c'est celui qui mène au sentier du cœur. »

je monte à la chambre 5 du Manoir d'Auteuil. il est 11 h 25 de l'avant-midi. je m'assois au pupitre et à l'encre brune j'écris : « cette nuit nous avons ouvert le canal 33 nous arrivons à la nuit des temps où je vois clairement tes yeux atlantes, tes yeux égyptiens, tes yeux mayas, tes yeux aztèques, tes yeux incas, tes yeux d'Allemagne, tes yeux d'Acadie qui est un brasier brûlant sur la ligne du temps et sous le regard bienveillant d'Hatchepsout je te regarde sur des vagues et des vagues qui roulent successivement sur moi entre les ramifications mystiques de Patti Smith vagues vibrations sur lesquelles encore tes yeux sphinx s'éveillent arc-en-ciel lumineux sur le *back-drop* monctonien qui nous enveloppe cette nuit où je t'aime tourbillon cyclone des sens à travers les vagues successives de ta bouche sur la mienne nos langues nectar chaud allument la mémoire du corps qui appelle le corps éros heureux kundalini sur le canal 33 de toutes nos vies. »

vert/bleu oscillant sur Moncton mantra, can *talmak yinko hobike ugh om ulak lock.* bienvenue à la nuit des temps.

à partir de l'A

à Irving Surette

a. la première lettre. l'Aleph. les commencements. or les commencements pour moi : Acadie, Amérique, même si j'aurais pu commencer autrement avec la première lettre. Afrique, Asie, déjà l'autre Amérique, même avant, l'Atlantide.

pourtant l'Europe. l'Europe au E blanc.
« E, candeurs de vapeurs et des tentes
Lances de glaciers fiers, rois blancs,
Frissons d'ombelles. »

quand je me promène dans les voyelles. Je suis Leblanc d'une arrière-grand-mère micmacque, de la race rouge des Amérindiens, si je veux mettre les points sur les i.

Acadie/mer. alors que j'habite une ville qui me traverse à travers les nuits d'un continent qui contient mes musiques de tam-tam chiacques et chaudes.

Acadie/terre. alors que j'habite un saxophone. le souffle cuivré souterrain et sauvage, comme mes racines.

l'Acadie est un texte bourré de complaintes et de menteries, de poutines râpées et de hareng boucané. c'est ma mère qui parle de son enfance pas loin de la mer.

j'habite un texte bilingue. c'est une ville. Moncton, c'est une confusion qui m'excite. je trouve mon père « new wave ». i' me parle jamais de politique, i'a d'autres tics.

c'est la nuit, je déménage dans un cahier vert. mon voisin dit que je tousse trop. il ramasse mes points et mes virgules dans l'escalier. c'est un autre texte qui me fait veiller tard.

à dos sus l'stéréo, je décode les messages émis par Nina Hagen. nous nous connaissons depuis l'Égypte, en voyage à travers l'Afrique, à l'époque où j'étais pêcheur sur la barque de Râ.

depuis j'ai joué aux fesses avec Rimbaud
j'ai peinturé la chambre de Virginia Woolf
j'ai vendu de l'acide à Jim Morrison

aujourd'hui, avec des plumes multicolores, je suis scribe sur la rue Lutz. je suis assigné à corriger les distorsions des media, en gardant contact avec ceux que Paul Chamberland nomme : les compagnons-chercheurs.

c'est encore la nuit
tout de suite nous prenons des taxis fous
sur nos amours de néons
nous fouillons les rues
à des adresses hallucinantes
nous conjugons des verbes urbains
sur nos caresses électriques
créatures nocturnes
ainsi notre mouvance
depuis le continent d'Atlantide
jusqu'aux forêts de nos fuites dans le feu de
Grand-Pré
ainsi notre mouvance
dans les nuits bleues
les nuits blanches
les nuits rouges
à la découverte
de nos corps
sur un plancher de 4 heures du matin en larmes
nos envolées aux
tempêtes
de nos bouches, de nos mains.
ma Louisiane, mon Acadie chaude
mon Mexique, mon Québec
ma Californie, mon Bouctouche
mon Edmundston
sur ce continent rouge
à la mesure de nos exigences
nous aimons
dans le commencement de nos désirs

ancrés dans la nuit des temps
nous sommes incandescents
illuminés des pieds à la tête
voyageurs/explorateurs
nous sommes des parcelles de divinités
à travers des galaxies de feu

le recul n'est plus possible
cette aventure vertigineuse et sans arrêt
se poursuit dans nos corps/laboratoires

c'est encore la nuit
des mille et une nuits d'Amérique
où je ne vois que tes yeux lucides
ton corps vibratoire
nos draps sont une cartographie chaude
où se dessinent nos gestes palimpsestes
où je savoure longtemps
tes lèvres de nuit en plein après-midi
dans la complicité de nos langues
dans l'état de grâce de nos corps nus
dans l'inépuisable ressource de nos caresses
jusqu'à la tendresse de nos mutations

c'est encore la nuit
à partir de là, j'écris
j'écris Amour : notre trajectoire
à partir de là.

en date du 12 juillet 1984
vision du processus
convergence vers le cristal
au cours de la transformation
nous entrons dans le bleu de la nuit

Lieux transitoires

Gérald Leblanc

à Paul J. Bourque

premier lieu

cette langue que nous apprenons
dans les replis des draps défaits
cette langue obéit à des pulsions
du bleu branchées sur nos bouches
nos mains nos sexes nos cuisses
nos yeux contactent s'activent
jusqu'aux fibres d'une musique organique
dans l'essence vivante
du souffle le cerveau exsude
sous l'état des matins chimiques
de toutes ces caresses ionisantes

je me rappelle les rêves sont un fleuve
déferlant sur les réseaux
de notre conscience

nous atteignons la mémoire du premier lieu
nous éprouvons cet état dans nos corps
consumés dans l'énergie pure
devenu courant repli embrasement
de cette langue que nous apprenons

Lieux transitoires I

mouvance

mouvance
toujours plus loin dites-vous
jusqu'au bout du monde
le voyage le déplacement
toujours plus loin
et le bout du monde est bleu
are you going with me

c’est une musique aérienne
sur mon signe de Balance
et ce bout du monde est bleu
je m’imagine au volant d’une voiture
à l’harmonica lamenteux des longues routes
où bercent nos corps
alors que la tête va et vient
something like out-of-the-body experiences
sur les routes de l’imaginaire
mouvance
déraciné apatride
sinon pour ce bleu au cœur
qu’on allume autour d’une langue
are you going with me

errance
erre l'ange à la langue
mêlée d'algues
accrochées au continent d'Amérique
errance mnémonique
où j'entends le bruissement de nos mots
lors de nos fuites
qui ressemblent tellement
à ce que France Daigle appellera
le blues international des Juifs
are you going with me

nous allons traverser le bleu
bleu comme la nuit bleue de Paul Klee
bleu comme la pochette *Beat* de King Crimson
bleu comme *Communiqué* de Dire Straits
avec la carte postale dessus
bleu comme un poème de Roméo Savoie
et quand j'aurai épuisé toutes mes images
il restera le bleu de vos yeux
sur les variations du réel
jusqu'au violet du vouloir mystique
bleu cristal en ligne
sur l'intuition de nos désirs
ce rythme envoûtant
are you going with me

le long de la route j'ajoute un bar
un autre va-et-vient
dans la géométrie des désirs
le long de la route

caravansérail
la lignée avance devient cercle
eternal caravan of reincarnation
la conscience du cercle
à travers laquelle
traverser le temps
dans le bleu du cristal
où je vous aime depuis toujours
même quand je dormais
avant de vous rencontrer
vous imaginant
dans le trafic du midi
dans le matin gris de beaucoup de bouteilles
avant de vous retrouver dans le dix de cœur
sur la route en voyage avec Pat Metheny
are you going with me

au volant de ma machine à écrire
j'arrive au rythme
j'avance avec la radio
onirisme sonore
sur les sentiers de l'extase
j'apprends à nommer ma recherche
j'écris Irio Swn d'un texte à l'autre
l'attente exquise et inquiétante
du premier pas
dans la spirale des mots
et la mémoire du vertige
dans une bibliothèque télépathique
traversée
dans les commencements de Moncton mantra
car c'est un voyage nourri d'images du bleu
vers l'écriture de vos yeux
au volant de ma machine à écrire
je veux vous parler de musique
de l'aire sonore de nos vies
de la nourriture des sens
are you going with me

mouvance
la route américaine
caravansérail
j'aime tellement le voyage
que je n'ai plus hâte d'arriver

are you going with me
moi qui suis désordres et désirs
machine à mots en dérive dans les villes
bipède ambulant dans les fantasmes de vous
j'allais d'amour fou en amour fou
pour fuir l'amour fou que j'avais pour vous
sur la Dufferin ou la Cameron
sur l'Archibald ou sur la Lutz
où je vous retrouve
dans chaque recoin de mon âme
je vous porte en moi
dans les parcours électriques
d'une errance à jamais sonore

strates

m'aventurerai dans ces lieux transitoires
explorant toutes les fictions
m'envelopperai des odeurs et des accents
dans un souffle de mémoire *like crystal dreams*
comme si le rock était mon seul langage
un univers de chocs
nectar sonore exquis
la musique me pousse dans le dos
me bouscule inédite
amplifiant les avenues
la musique me souffle dans la tête
l'appétence des dérives
dans mon corps de rock
devant des horizons qui s'avancent
en exil des lieux communs
où le rêve intervient soudain
dans la précision du vouloir
cristal lumineux des éclats d'une vision
cette exigence souligne le projet
dans les résonances émotives
des lectures troublantes
alphabet du corps et ses rythmes
c'est Moncton et c'est ailleurs
et la ville s'éveille dans nos mots

comme ce regard qui flâne
une pensée traverse le lieu
et celui qui me renvoie ce regard
répond à un rythme en lui
accord tacite dans une ambiance
soudain vivre un autre registre
le quotidien palpable dans ses méandres
ô Joni Mitchell encore
texture chatoyante sur l'air du temps
I am travelling in some vehicle
ce chemin où m'amènent les mots
cristal rythme corps
partout dans n'importe quel décor bleu
où j'apprends à jouer pour déjouer ma peur
la mémoire arpente les sens
écrire au présent
dans le sentiment de cet espace
à même les fleurs du mal
les accidents de parcours
l'énergie de la parole
à même les livres secrets
avec ton nom comme un refrain obsédant
et l'irruption du bleu dans le trajet
le chant de cette dérive
lieux satori où ce que je pense ne cesse de changer
un graffiti lyrique à même la peau
autant d'indices dans le désordre de mes excès
cette ligne blanche à l'horizon
quand chaque musique laisse une trace

trajectoire

je te vois danser dans la lumière diffuse
ton corps ondule sur des vagues de sons
c'est un message que je reçois
que j'enregistre et mémorise

tout converge vers le rythme du cœur
mais nous connaissons à peine cette aire de jeu
à peine la danse et son va-et-vient
carnaval de rencontres galvaniques
vers un centre indéfini
une image de cyclone dans laquelle nous nous exilons

enflammés dans l'interstice des mots
de ce désir palpable dans l'air
l'électricité se dégage de nos distances

je te vois danser dans la lumière bleutée de
l'appartement
ton corps ondule sur des vagues de sons
c'est un présage de la trajectoire
la certitude viscérale
le commencement du commencement

tu m'amènes hésitant
vers un lieu de légèreté
souterrain lumineux de sensations
dans l'archéologie du bleu

projections

je m'imagine toujours dérivant
dans le pays des mots et des sons
dans l'agitation et le mouvement du quotidien
l'exploration continuelle des tensions
je m'imagine en diverses passions
dans des musiques aux strates dévorantes
étudiées comme une science du ravissement

il est des jours où tout converge
des moments magiques incitent
au balbutiement d'un langage nouveau
les rêves inventent des airs ludiques
les énergies se croisent dans le débordement
gestes séduisants qui déblaient l'inertie
dispersent les conséquences
conscience de projections jouées dans l'immédiat
où j'avance quotidien
pour en arriver là
nous rêvons toujours en couleurs

Lieux transitoires II

danser au Kacho

1.
l'époque se désintègre partout des
éclats d'expériences tombent en cours de route
tout dépasse les fictions les plus terrifiantes
parfois un corps puis un autre victime
souvent rien ne prend des entités
débranchées circulent s'accrochent
avec méfiance c'est une époque
de glace alors

2.
certaines musiques nous traversent
simultanément un air de The Smiths
connecte nos dérives je te vois
danser au Kacho alors que je parle
avec lui et qu'il te voit me regarder
te regardant

3.
nous avançons dans la saison un
mouvement s'empare de nos corps et
nous propulse dans un état altéré de
l'un par rapport à l'autre par rapport
à l'autre par rapport à quelque chose
où tout cela s'efface et devient
synergie

4.
sa main sur mon corps ma main
sur le tien trois bouches parlant en langues
longeant un précipice rutilant chair
de nos chairs suinte une nuit
où la conscience explose

5.
sa tête entre mes jambes au réveil je
te caresse la nuque et te réveille à
mon tour toutes nos mains dans la
cérémonie du réveil

6.
nous habitons un espace dilaté où
s'infiltrent des intensités bleues le café
du matin le rite nous étudions quelque
chose de sacré et de fragile à la fois
quelque chose que nous ne pouvons pas
encore nommer et qui nous saisit

7.
chaque corps vibre comme un écho
dans le corps de l'autre

8.
cadence des bras caresse des mains secousse des
corps saccade des mouvements par à-coups jusqu'à
ce que les corps semblent se détacher des corps
transcendance organisme vivant

9.
quelque chose en nous et
indépendant de nous

10.
nos corps au monde et autrement
sur ce terrain magnétique nous inventons
ce dénouement de notre temps de chair

11.
nos exigences lumineuses se nourrissent des
images ramenées de nos excursions mnémoniques
vertiges apesanteur d'autres formes surgissent donc
s'interpellent dehors les rumeurs de guerre
s'insinuent jusqu'à la porte à la radio sur des
fréquences que nous captons en pleurant

connivence

le goût de ta peau mouillée dans la danse
parmi les graffiti et les échos du bar
je te goûte anarchie
tes gestes traduisent la connivence
les vibrations de notre volonté
j'entends le trafic de nuit
le nouveau disque qui tourne partout
le craquement des idées reçues
et toi aussi
tu entends

vivre la tentation lucide

au milieu d'un air électrique
les intentions convergent autour d'une
saison étrange certains livres
arrivent avec insistance à abreuver
une soif d'extase
parmi les images
enregistrées au long de ce
trajet soudain j'apprends à vivre
la tentation lucide

projets

étudier la texture de ta peau
de tes cheveux
en voyageant intensivement
dans ta bouche
certaines chansons montent
dans nos corps
donnent un autre éclairage
à la chambre
pour des poèmes intimistes
à la chaleur d'un été
antérieur et actuel

élan

il ne suffit que d'un mot ou
d'un air peut-être cela
déclenche une rythmique
un élan dans lequel j'arrive
au passage de tes yeux
ou ce soir de Meredith Monk
l'encyclopédie sonore de sa gorge
ce sont des choses que je veux écrire
avec précision

romantisme

notre état fiévreux
une disponibilité dans l'écoute
de nos corps
les choses que je savais
que je commence à vivre
avec insouciance
j'écris avec un vestige
de romantisme

el beso

mon intention toujours vibrante
d'apprendre l'espagnol
el beso del hombre rojo
comme un mantra
une autre langue mêlée à la tienne
d'autres images parmi la passion
au risque de devenir lyrique
c'est une saison d'occasion
au calendrier maya
les cartes postales débordent
dans ma boîte aux lettres
je déchiffre le langage de nos corps
ce langage qui me surprend
et ne m'échappe plus
quand je te retrouve
hombre rojo

sonnet bleu

la table regorge toujours
de livres et de plusieurs listes
de « choses à faire » scénario
de mes désirs chorégraphie de
mes sens je suis trois mois
en avance sur mon journal ou
vice versa les journées transparentes
sur le fil conducteur de ta
voix dans cet espace de
permission mon corps s'allume
partout même la lumière
sur le toit des voisins
ressemble à un rêve que j'ai eu
que j'ai

Visions de Rimbaud

(projet d'autobiographie)

j'entends à la radio que Rimbaud est revenu en ville.
et je me suis rappelé le temps passé ensemble, à l'époque
où je fumais beaucoup trop, entre la mescaline et le chèque
de chômage.

nous écoutions les mêmes disques. Bob Dylan : *Blonde on
Blonde* surtout. si je m'arrêtais à une image sibylline
d'une chanson, il disait : « Analyse pas, laisse les voyelles
te bercer dans leurs sonorités, laisse-toi emporter par
son travail sur les consonnes. »

la trappe à homard et le bateau au bout du quai n'étaient plus des sujets de poésie. il m'aimait plus fort quand je lui parlais chiac. lui se prévalait d'un accent ramassé dans les bars d'Afrique du Nord.

la ville nous servait d'ambiance. nous partagions une prédilection pour les taxis bleus. je lui avais donné un sobriquet : *appétit.*

parfois nous descendions jusqu'au Cap-Pelé où on passait l'après-midi, les orteils dans le sable, à énumérer toutes les villes qui nous fascinaient : San Francisco, Barcelone, New Orleans, Tokyo. il avait un mot pour cette activité, il appelait ça : *désir*.

il fabriquait souvent des collages avec les journaux qu'il mélangeait avec des images de revues ou encore des pages du livre qu'il lisait ou de lettres qu'il recevait. on riait aux éclats en parlant de la France. nous vivions quelque chose d'aussi vague que le temps et la nuit nous dormions enlacés auprès du dictionnaire des symboles.

la dernière fois qu'on s'est vus, c'était à New York. nous avions traversé Central Park comme ça, ne distinguant plus l'est de l'ouest. dans un fast-food au coin de la 46e et Lexington, il écrivit : « Burger King is Murder ». il avait même suggéré qu'on écrive un poème sur le code postal. une mémoire réciproque nous travaillait.

je griffonnais son nom en imitant les caractères des graffiti sur les métros. *and Manhattan was throbbing like crazy on that day*. en voyant ses yeux, je me suis dit : « Oh boy ! quel karma que de revivre tout ceci encore une fois. » après une tournée de quelques bars, on se quittait à Penn Station.

j'avance sur la Cameron. printemps 1986. la texture grise du trottoir me propose des lignes, des directions. je tourne sur Mountain Road. je l'aperçois soudain. il porte une culotte noire, fripée, une chemise blanche ouverte au cou, la chevelure ébouriffée. son éclat de rire me traverse. il me rappelle une image-photo d'Ernest Pignon que j'avais collée au mur de la cuisine en souvenir de lui.

il me prend par la taille en me racontant des anecdotes de vidéo-clips. nous allons vers une soirée bruyante où nous dansons jusqu'à la frénésie. il m'embrasse éperdument dans la musique. nous courons jusqu'à l'appartement, nuit bleue dans la cérémonie des touchers.

cette nuit, je lui souffle à l'oreille à quel point il m'a manqué. en me serrant contre lui, il me dit : « j'étais partout pourtant. dans la gorge de Jim Morrison, dans les couleurs de Nicholas de Staël, dans les cris d'Antonin Artaud ; je te parlais dans les lignes du Yi-King, dans les disques de Marvin Gaye ».

au matin nous méditons avec le mantra :
nam myo-ho renge kyo,
ses yeux réchauffent la chambre. une musique vibrante émane de nos plexus solaires, énergie tantrique de nos corps.

Rimbaud revenu. l'appartement devient plus lumineux. un déjà-vu dans nos yeux, on se promène là-dedans avec aisance. à la table de cuisine les images nous emportent. coïncidences comme au premier matin. avec les valises près de la porte, nous reprenons notre prière américaine.

Moncton
1984/1986

Table des matières